‘Ná scaoil leis,’ a dúirt a mháthair.

Tá Alastar ag iarraidh úill taifí.

'Bí cúramach, agus ná cuir ar do chuid éadaigh é,' a dúirt a athair leis.

Tá Alastar ag iarraidh uachtair reoite sú talún anois.

‘Ach níl agat ach dhá láimh!’

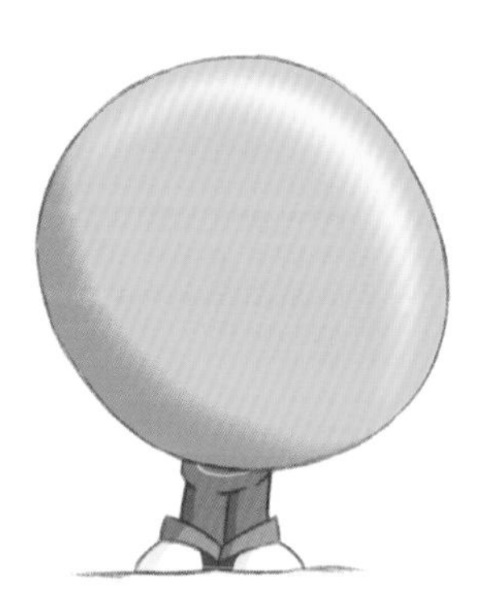

‘Tá mé ag iarraidh uachtair reoite
sú talún!’

Déanann sé iarracht breith ar an uachtar reoite, ach scaoileann sé an balún as a láimh.

Déanann sé iarracht breith ar an mbalún agus titeann an t-úll taifí ar an talamh.

Nuair a thógann sé an t-úll taifí den talamh, titeann an t-uachtar reoite.

Níl tada ag Alastar bocht agus é ag dul abhaile.

Foras na Gaeilge

Faigheann Leabhar Breac cúnamh airgid ó Fhoras na Gaeilge

Faigheann Leabhar Breac cúnamh airgid ón gComhairle Ealaíon

Teideal i gCatalóinis: *A la fira*

Polígon Industrial 1
46600 Alzira (An Spáinn)
www.bromera.com
Dearadh: Pere Fuster
Priontáil: Blauverd
An Chéad Eagrán: 2013
ISBN: 978-0-898332-76-6